937

COMMENT
ON VIVAIT À
ROME

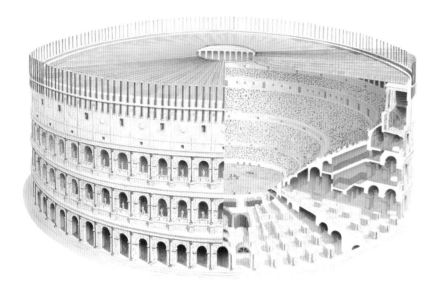

Texte original : Neil Grant
Illustrations : Manuela Cappon, Lorenzo Cecchi, Luisa Della Porta, Sauro Giampaia, Paola
Ravaglia, Andrea Ricciardi di Gaudesi, Giacomo Soriani, Studio Stalio (Alessandro Cantucci,
Fabiano Fabbrucci, Andrea Morandi)
Adaptation française : Hélène Varnoux
Secrétariat d'édition : Yannick Le Bihen
Première édition française 2001 par Éditions Gründ, Paris
© 2001 Éditions Gründ pour l'édition française
ISBN : 2-7000-5075-4
Dépôt légal : août 2001
Édition originale 2001 par McRae Books, sous le titre *Ancient Rome*
© 2001 McRae Books

PAO : Bernard Rousselot, Paris
Texte composé en Sabon
Imprimé en Italie

Loi n° 49-956 du 16 juillet 1949 sur les publications destinées à la jeunesse

Pour en savoir, consulter notre site internet : www.grund.fr

COMMENT
ON VIVAIT À

ROME

Texte original
Neil Grant

Illustrations Manuela Cappon, Luisa Della Porta,
Paola Ravaglia, Andrea Ricciardi di Gaudesi, Studio Stalio

Adaptation française
Hélène Varnoux

GRÜND

Sommaire

Introduction

En 700 av. J.-C., Rome n'était encore qu'un village. Progressivement la cité va pourtant réussir à devenir le centre d'un immense empire. Vers 500 av. J.-C., les Romains chassèrent les Étrusques et fondèrent une république. En moins de trois cents ans, la République romaine domina l'Italie et détruisit sa principale rivale en Méditerranée, Carthage. Mais les rivalités entre chefs militaires entraînèrent des guerres civiles et la disparition de la République au profit de dictatures. En 46 av. J.-C., Jules César s'empara du pouvoir mais il fut assassiné, quelques années après, sur l'ordre de l'un de ses proches. Après une lutte pour sa succession, Octave devint le premier empereur romain et reçut le titre d'Auguste, dont il fera son nom. Si les premiers empereurs ne furent pas toujours d'habiles souverains, Rome parvint toutefois à accroître sa puissance. De la fin du Iᵉʳ siècle au IIIᵉ siècle, la Paix romaine introduisit une période de prospérité dans tout l'Empire qui, en 117, s'étendait de l'Écosse à la Syrie et comprenait aussi l'Afrique du Nord. Mais Rome suscitait la convoitise de ses voisins et devait sans cesse se défendre contre leurs attaques. À partir du IIIᵉ siècle, s'amorça un lent déclin qui aboutit à la chute de Rome en 476.

Chronologie

DÉBUTS DE LA CIVILISATION ÉTRUSQUE
Vers 800 av. J.-C.

FONDATION DE ROME
753 av. J.-C.

FONDATION DE LA RÉPUBLIQUE
509 av. J.-C.

DÉCLIN DE LA CIVILISATION ÉTRUSQUE
À partir de 400 av. J.-C.

PREMIÈRE GUERRE PUNIQUE
264-241 av. J.-C.

DEUXIÈME GUERRE PUNIQUE
218-201 av. J.-C.

TROISIÈME GUERRE PUNIQUE
149-146 av. J.-C.

CONQUÊTE DE LA GAULE
58-51 av. J.-C.

DÉBUT DU RÉGIME IMPÉRIAL
27 av. J.-C.

CONQUÊTE DE L'ANGLETERRE
43 apr. J.-C.

L'EMPIRE ROMAIN CONNAÎT SA PLUS GRANDE EXTENSION
116 apr. J.-C.

PARTAGE DE L'EMPIRE (EMPIRE D'OCCIDENT ET EMPIRE D'ORIENT)
286

PRISE DE ROME PAR LES WISIGOTHS
410

LES VANDALES PRENNENT CARTHAGE
439

LES VANDALES PILLENT ROME
455

FIN DE L'EMPIRE ROMAIN
476

Avant les Romains

À l'âge du fer, il y a près de 3 000 ans, les occupants de l'Italie se divisaient en nombreuses tribus. Réparties dans des villages, elles vivaient de la culture et de la chasse, puis vers le VIIIe siècle av. J.-C., de l'artisanat. À la même époque en Étrurie (Toscane), un peuple s'établit avec une culture plus élaborée, les Étrusques. Ceux-ci vivaient dans des cités-États, qui se faisaient fréquemment la guerre. Rome fut dirigée par des rois étrusques jusqu'en 509 av. J.-C., date de la fondation de la République romaine.

On ignore à peu près tout des premiers peuples d'Italie. Seuls de rares objets nous sont parvenus, tels que ce brûleur d'encens en métal, mis au jour dans un tombeau par des archéologues.

Ces petites figurines furent sculptées en Sicile, il y a près de 3 000 ans. Elles représentent un homme et son épouse, sans doute les occupants de la tombe où elles furent retrouvées.

Un village de l'âge du fer

Le village de Rome fondé sur la colline du Palatin (qui, plus tard, allait abriter les vastes palais des empereurs romains) devait ressembler, il y a 3 000 ans, à celui représenté ici. On y cultivait la terre, élevait du bétail et, on y appréciait beaucoup les chevaux, semble-t-il, d'après les nombreux morceaux de harnais retrouvés dans les tombeaux. Les huttes consistaient en un assemblage de bâtons recouvert de boue et protégé par un toit de chaume.

*Cette statuette en bronze
d'un guerrier portant une épée et
un bâton de commandement
(à gauche), réalisée en
Sardaigne à l'âge du fer,
devait être celle d'un
dieu ou d'un héros.*

Étrusques et Grecs

Avant l'apparition de Rome,
la civilisation étrusque était la
plus avancée d'Italie. Ayant
subi l'influence des colons
Grecs installés dans le sud
de l'Italie, les Étrusques
influencèrent à leur
tour les Romains. Entre
500 et 200 av. J.-C., les
Romains conquirent la
presque totalité de
l'Italie, y compris
l'Étrurie et les colonies
grecques.

*Cette tête de déesse (à
droite) est l'œuvre d'un
artisan étrusque
influencé par l'art grec.
Elle arbore le sourire
mystérieux qu'affectionnaient
les sculpteurs grecs et étrusques.*

*Ce guerrier (à droite) porte un
casque étrusque surmonté d'un cimier
caractéristique. Une telle sculpture aurait pu
facilement être conçue en Afrique médiévale
ou en Europe, au XXe siècle.*

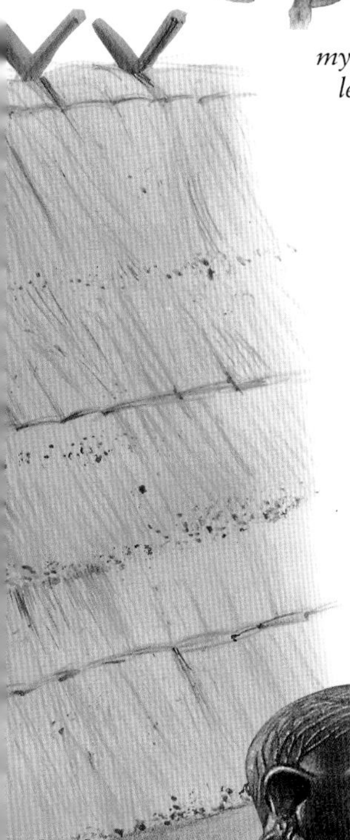

*Nous savons à quoi ressemblaient
les premières maisons romaines
grâce aux modèles réduits
(ci-contre) destinés à contenir les
cendres des défunts.*

Art et artisanat

La culture étrusque marqua
profondément la civilisation
romaine. On sait notamment
que les Romains leur empruntèrent
nombre de leurs coutumes et même leurs
dieux. C'est également par l'intermédiaire
des Étrusques que l'influence de la Grèce et
de l'Orient pénétra en Italie. L'artisanat
étrusque était exceptionnel, en particulier
sa ferronnerie (l'Étrurie était connue pour sa
richesse en minerais) et sa joaillerie.

*Cette figurine en terre,
à gauche, portant une robe
en tartan provient d'une
tombe de la ville étrusque
de Caere (aujourd'hui
Cerveteri). Elle date du
VIIe siècle av. J.-C. On
ignore la signification du
geste qu'elle exécute
avec la main.*

Les fondateurs de Rome

La légende veut que Rome fût
fondée par deux frères jumeaux,
Romulus et Rémus, les fils de Mars,
le dieu de la guerre. Abandonnés à la
naissance, ils furent allaités par une louve, puis
élevés par un berger. Adultes, ils fondèrent la
ville de Rome, mais se querellèrent et Romulus
tua Rémus. Cette louve étrusque en bronze (à
droite) date du Ve siècle av. J.-C. Les jumeaux
furent ajoutés 2 000 ans plus tard.

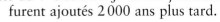

La ville de Rome

Le très long règne (27 av. J.-C.-14 apr. J.-C.) de l'empereur Auguste (ci-dessus) jeta les bases du régime impérial. L'aigle devint le symbole de sa puissance.

Depuis plus de 2 000 ans, Rome, la « cité éternelle », est souvent demeurée au cœur de l'histoire européenne. Réunissant à l'origine plusieurs villages dispersés sur sept collines, elle devint une république en 509 av. J.-C. Avec l'expansion de son territoire, la ville se développa et, après plusieurs guerres civiles qui émaillèrent le Ier siècle av. J.-C., elle tomba sous la férule d'empereurs. Sous le règne d'Auguste, le premier empereur, et de ses successeurs, Rome devint bientôt la ville la plus vaste et la plus puissante que l'Europe eût jamais connue. De nombreuses cités et villes de l'Empire devinrent alors des modèles réduits de Rome et de sa civilisation.

Le Forum

Le forum de Rome était l'espace public principal de la ville. Sous la République, il servait de centres religieux, commercial (la place était entourée de boutiques), politique, et l'on y organisait même des combats de gladiateurs. On y construisit ensuite de gigantesques monuments.

La police et les pompiers

Auguste établit une force de police destinée à contrer les révoltes, mais pour l'essentiel, le maintien de l'ordre était assuré par des citoyens ordinaires qui se regroupaient pour venir à bout des fauteurs de troubles. Par ailleurs, la constitution, par Auguste, d'un corps de pompiers ne permit pas de maîtriser le feu qui ravagea la ville pendant six jours, en 64 apr. J.-C.

Monnaies frappées à Rome. À gauche, l'aigle romain qui était l'oiseau de Jupiter. À droite, le dieu Janus aux deux visages, gardien des portes.

Cette monnaie de la République romaine (à droite) figure un citoyen en train de voter lors d'une élection.

La République et l'Empire

La République romaine n'était pas une vraie démocratie, car les patriciens (les nobles) détenaient seuls le pouvoir. Les Romains répugnaient à l'idée d'être gouvernés par un roi, et Auguste se fit appeler « prince » et non empereur. Il conserva aussi certaines institutions républicaines comme le Sénat, mais concentra le pouvoir entre ses mains.

À Rome, les politiciens et les hommes de loi étaient généralement d'habiles orateurs.

Le Sénat

Les patriciens (membres des familles nobles) composaient le Sénat, centre du gouvernement sous la République. À l'origine, le Sénat comptait 300 membres, puis 600. Les deux consuls, élus à la tête du gouvernement, étaient également des patriciens, jusqu'à ce que des plébéiens soient acceptés comme consuls en 336 av. J.-C. Sous l'Empire, le Sénat perdit l'essentiel de son pouvoir.

La plèbe

Tous les représentants du peuple de Rome, ou plèbe, n'étaient pas pauvres. Certains même étaient riches, mais jamais de naissance noble. Sous la République, la plèbe lutta pour accroître ses droits contre les patriciens (les nobles). Elle remporta quelque succès, notamment la création d'une assemblée, l'obtention de l'égalité juridique et le droit d'accéder à de nombreuses fonctions.

Cette carte montre Rome vers 300 apr. J.-C., au moment de son expansion maximale. L'enceinte s'étendait sur 52 km et le Tibre était traversé par six ponts. On aperçoit, au centre, le Colisée et, en dessous, les palais impériaux et le Circus Maximus.

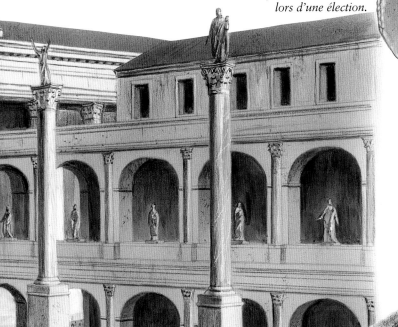

Loi et justice

Après son armée, la plus grande force de l'Empire était la loi. Même l'empereur n'était pas au-dessus des lois et les droits des citoyens étaient fermement défendus au tribunal. Ainsi, par exemple, l'apôtre Paul ne fut pas flagellé parce qu'il était citoyen romain. Comme de nos jours, les procès étaient l'occasion de joutes oratoires entre avocats. Les jugements étaient rendus par des magistrats élus.

Boutiques et marchés

L'expansion de Rome entraîna celle des boutiques et des marchés. Les magasins bordaient les rues principales, tandis que les artisans de luxe, comme les orfèvres, se regroupaient autour du Forum. Le marché couvert de Trajan, construit vers 110 apr. J.-C., occupait un bâtiment de cinq étages. Au rez-de-chaussée étaient installés les marchands de fruits et de fleurs. Au premier, des salles spacieuses et voûtées étaient réservées au stockage de l'huile et du vin. Aux deux étages suivants, on vendait diverses denrées alimentaires, y compris les herbes et les épices. Le quatrième était destiné aux bureaux des « avantages sociaux », où l'on distribuait gratuitement de la nourriture. Et au cinquième, enfin, des bassins à poissons étaient alimentés en eau douce par un aqueduc ou en eau de mer provenant de la côte.

Une boutique

Des boutiques comme celle ci-dessous se rencontraient dans toutes les villes romaines. Elles occupaient le rez-de-chaussée d'un immeuble que le propriétaire louait. L'escalier à l'arrière-plan mène aux appartements du propriétaire et de sa famille. Les commerçants enrichis possédaient leur propre immeuble.

Producteurs et acheteurs

Les marchandises vendues dans les boutiques ont d'abord été produites par les vendeurs. Par la suite, Rome compta jusqu'à un million d'habitants, et le commerce se développa. Les intermédiaires contrôlèrent toujours davantage les échanges, en achetant toute la production des agriculteurs ou fabricants (quincaillerie, tissu...) pour la revendre ensuite aux boutiquiers.

Les achats

Les personnes aisées envoyaient leurs esclaves faire les courses et, à Rome, ces derniers se rendaient au marché presque tous les jours. Ailleurs, les marchés étaient hebdomadaires. Les plus pauvres, qui, pour la plupart, ne possédaient pas de cuisine et ne pouvaient s'offrir des ingrédients coûteux, se nourrissaient de pain, d'une sorte de bouillie de flocons d'avoine et de légumes énergétiques, comme les haricots ou les lentilles.

La viande

La diversité des viandes vendues par les bouchers était plus importante que celle proposée aujourd'hui dans les boucheries et supermarchés. Elle incluait le porc, le mouton, la chèvre et le bœuf, mais aussi le sanglier, le lièvre, l'oie, nombre d'oiseaux, ainsi que des loirs élevés spécialement pour la consommation. Les Romains raffolaient également de parties d'animaux pour le moins étranges, comme les pieds de truie, considérées comme un mets exquis.

Les boulangeries

La farine était moulue assez grossièrement par comparaison avec celle proposée aujourd'hui. Aussi, le pain romain était plus caoutchouteux et la pâte ne levait pas suffisamment. La plupart des boulangers fabriquaient eux-mêmes leur farine.

Au petit matin, dans cette rue commerçante, on acheminait encore des marchandises tandis que les premiers clients arrivaient. Plus avant dans la journée, l'agitation était nettement plus intense. À tel point que le gouvernement romain adoptait régulièrement des règlements destinés à empêcher les commerçants d'envahir les rues.

Les boulangers sortaient les miches de pain du four avec une spatule à long manche, comme l'évoque cette mosaïque (ci-dessus).

Ci-dessous, une aubergiste discute le prix avec un voyageur sur le départ.

À l'intérieur d'une taverne

Si certaines tavernes étaient des tanières sombres et sales, d'autre pouvaient être des restaurants confortables. Près de l'entrée se dressait un comptoir de pierre, agrémenté de jarres de vin et d'eau (on diluait le vin avec de l'eau avant de le boire). Au fond, se trouvaient les fours et les équipements culinaires. Souvent, à l'arrière, il y avait une pièce privée et parfois une cour.

Auberges et tavernes

Dans l'Empire romain, plusieurs types de tavernes offraient nourriture et boisson, et l'on trouvait le gîte dans les auberges. La plupart proposaient des distractions en tous genres, pour la plupart illégales ou peu recommandables, comme le jeu. Les tavernes se regroupaient généralement près des bains publics et des marchés. Rares étaient les Romains respectables qui s'y aventuraient. Aux yeux de la loi, celui qui tenait une taverne ne valait guère mieux qu'un criminel. Il existait cependant des auberges plus luxueuses, ou hôtels, réservés aux voyageurs de la haute société, tels que les ambassadeurs et les administrateurs de l'Empire.

Ci-contre, l'enseigne d'une des nombreuses tavernes du port d'Ostie où se retrouvaient marins, marchands et voyageurs. On y proposait à manger et à boire.

Cette mosaïque illustre une discussion au cours d'une partie de dés. Le jeu atteignait son apogée pendant la fête des Saturnales, en décembre, période où les Romains jouissaient d'une semaine de liberté.

Les jeux d'argent

À Rome, les tavernes disposaient généralement d'une pièce réservée aux jeux d'argent, même si la loi l'interdisait. Un tavernier n'était pas poursuivi si l'on jouait à l'intérieur de son établissement, mais il ne pouvait pas attaquer en justice des clients violents qui occasionnaient des dégâts sous l'emprise de la boisson. Certains joueurs trichaient : les archéologues ont retrouvé des dés pipés.

Manger à l'extérieur

Les Romains aisés ne mangeaient pas à l'extérieur. Fêtes et repas se déroulaient à la maison. Lorsqu'ils étaient en voyage, ils allaient chez des amis, ou des amis d'amis. L'hospitalité envers les étrangers était une coutume bien établie. Il était facile aux riches Romains, possédant de nombreux esclaves, de recevoir des visiteurs. Lorsqu'en voyage ils n'avaient nul autre endroit où loger, ils s'installaient dans les meilleures auberges et faisaient préparer leurs repas par leurs esclaves dans les cuisines de l'auberge.

Le service

Les tavernes étaient meublées simplement avec quelques tables et des bancs pour ceux qui souhaitaient se restaurer sur place. Mais la plupart des clients emportaient la nourriture chez eux.

Des sandales de ce type étaient fournies aux clients des bains.

❶ PISCINE À CIEL OUVERT
❷ ENTRÉE PRINCIPALE

❸ TEPIDARIUM (TEMPÉRATURE NORMALE)
❹ APODYTERIUM (VESTIAIRE) OÙ L'ON LAISSAIT SES VÊTEMENTS

Ce détail de mosaïque représente des femmes faisant de l'exercice. Les femmes et les enfants se rendaient aux bains à des heures différentes de celles des hommes, ou bien disposaient de leurs propres établissements.

Sur cette mosaïque des bains de Caracalla, un juge arbitre un jeu.

Jeux et exercices

La plupart des Romains se rendaient aux bains chaque fin d'après-midi. Ils soulevaient des poids (comme la femme ci-dessus), couraient (certains bains étaient dotés d'une piste), s'adonnaient à la lutte ou à la boxe, ou encore à des jeux de ballon. Les femmes s'exerçaient souvent avec un cerceau.

Se laver

La règle voulait que le client pénètre d'abord dans la pièce la plus chaude, le *caldarium*. Là, des serviteurs frottaient le corps du client avec de l'huile d'olive, puis raclaient sa peau à l'aide d'un strigile. Il se rafraîchissait ensuite dans le *tepidarium*, puis plongeait dans le *frigidarium* glacé, et pour finir nageait dans la piscine à ciel ouvert.

❺ *CALDARIUM* (CHALEUR ET VAPEUR) POUR UN
  « BAIN SEC ». LE HAUT DU DÔME POSSÉDAIT UNE
  OUVERTURE POUR LA VENTILATION.
❻ *FRIGIDARIUM* (PIÈCE FROIDE)
❼ *GYMNASIUM* POUR LES EXERCICES
  LES PLUS INTENSIFS

Le chauffage

Les bains publics disposaient d'un ingénieux système de chauffage. L'air était chauffé, puis circulait sous les sols et par des conduits de ventilation dans les murs. Selon les pièces, la température était plus ou moins élevée. Dans la ville anglaise de Bath (appelé alors Aquae Sulis), les Romains utilisaient des sources d'eau chaude naturelles.

Quelques ustensiles utilisés pour les bains : éponges, flacon à huile et strigiles métalliques destinés à éliminer de la peau, en la raclant, sueur et saleté.

Les bains

Chaque ville romaine, grande ou petite, possédait ses bains publics (thermes), véritables centres de la vie sociale. Rome en comptait des centaines, pour la plupart gratuits, notamment les gigantesques bains de Caracalla, un magnifique palais en marbre décoré de mosaïques qui s'étendait sur 13 hectares. On s'y rendait pour se laver le corps, mais aussi pour faire du sport et se détendre entre amis.

Les femmes

Les femmes romaines jouissaient d'une certaine liberté. Même si les Romains estimaient que la place de la femme était à la maison, elle pouvait participer à la vie sociale, avec ou sans son époux. Les femmes de la haute société n'avaient pas besoin de travailler ou de prendre part à la vie publique. Les autres étaient ouvrières ou commerçantes, mais la plupart étaient des servantes esclaves ou affranchies.

Sur cette fresque d'une maison romaine, une femme verse du parfum dans un flacon.

Les droits des femmes

D'abord considérées comme la propriété de leur époux ou de leur père, les femmes, avec le temps, acquirent de nombreux droits. Elles purent gérer leur argent et avaient davantage de droit sur leur propriété que les femmes françaises il y a encore un siècle. Dans les milieux populaires, les femmes pouvaient travailler avec leurs maris, en particulier s'ils étaient artisans.

Collier serti de perles et d'émeraudes, bracelet en or en forme de serpent et bague.

L'habillement

Hommes et femmes portaient des tuniques amples. Le principal vêtement féminin consistait en une tunique tombant jusqu'aux chevilles. Elle était portée sur une chemise ou un jupon. Parfois venait s'ajouter une *palla*, un châle rectangulaire de tissu dont les femmes drapaient une épaule, leur dos et un bras. Elles s'en recouvraient parfois la tête. Elles étaient chaussées de sandales.

Les vêtements étaient en laine, parfois en lin et en soie pour les riches.

Les bijoux

Les femmes romaines portaient des bijoux très semblables à ceux d'aujourd'hui – colliers, bracelets, bagues et boucles d'oreilles. Les plus riches pouvaient s'offrir des bijoux en or et pierres précieuses, voire des diamants provenant d'Inde. Les plus modestes se contentaient de verrerie et de pierres colorées serties dans du cuivre.

La coiffure

Les femmes de la haute société se laissaient pousser les cheveux qu'elles relevaient en coiffures diverses sur leur tête, souvent très élaborées. Elles incluaient parfois des cheveux artificiels ou une armature métallique pour obtenir un effet original. La mode changeait très vite, comme de nos jours.

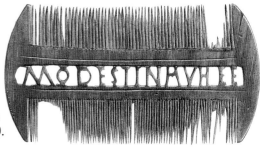

Ce peigne en ivoire a été retrouvé dans une tombe. Une inscription y est gravée : « Modestina Vale » (Modestina, adieu).

Le mariage

Au IIe siècle apr. J.-C., les relations entre conjoints évoluent et ne sont plus fondées uniquement sur l'obligation d'obéissance de la femme. Le mariage par consentement mutuel des époux apparaît. Les pères ne peuvent plus ordonner la mort des enfants non désirés, ou choisir les époux de leurs filles. Le mariage romain ressemble désormais à un mariage chrétien, avec alliances en or et demoiselles d'honneur.

Les femmes de la haute société

Ne travaillant pas à l'extérieur et assistées par de nombreuses esclaves, les femmes de la haute société ne menaient cependant pas une vie oisive. Leurs tâches étaient multiples : diriger la maison, élever les enfants, organiser la vie sociale de la famille...

Aidée de sa servante, une femme baigne son bébé.

La maternité

Le premier rôle d'une femme consistait à élever ses enfants. L'empereur récompensait les bonnes mères, qui jouaient un rôle fondamental dans l'éducation des jeunes enfants. Les garçons étaient souvent très proches de leur mère. En revanche, on possède peu d'informations sur les rapports entre mère et fille (sans doute parce que tous les témoignages furent écrits par des hommes).

Le maquillage

Les femmes occupant une position sociale élevée utilisaient de nombreux cosmétiques à base de plantes, insectes, coquillages... Ils étaient confectionnés à la maison et certains étaient dangereux pour la santé. Ainsi, par exemple, on privilégia un moment une poudre blanche pour le visage faite à partir de poudre de plomb blanc et d'huile – un mélange très nocif pour la peau. La femme debout sur cette image est une maquilleuse confirmée.

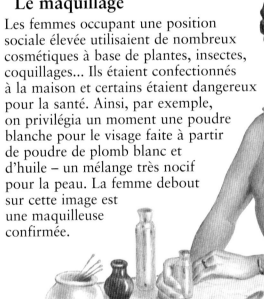

Les servantes

L'Empire romain comptait plus d'esclaves que de citoyens libres. Ainsi, les servantes étaient pour la plupart des esclaves. Pour s'habiller, une femme de la haute société s'entourait de quatre ou cinq servantes. Les esclaves constituaient un bien comme un autre – à vendre ou à acheter –, mais les domestiques, mieux traités, pouvaient gagner leur liberté.

Les enfants

Les Romains traitaient les enfants comme des petits adultes. Les garçons pouvaient se marier à 14 ans et les filles à 12 ans. Les enfants étaient vêtus comme les adultes, et les filles des familles aisées portaient les mêmes coiffures sophistiquées que leur mère. Dans les premiers temps, le père romain pouvait exercer le droit de vie ou de mort sur ses enfants, ou les vendre comme esclaves. Mais au IIe siècle apr. J.-C, cette pratique devint illégale (même si dans les familles très pauvres, on continuait à vendre les enfants). Dès lors, le sentiment et l'affection prédominèrent dans la vie familiale. Certains pères étaient critiqués pour trop gâter leurs enfants, en particulier leurs fils.

Une amulette en or, appelée bulla, était portée en pendentif par les enfants romains nés libres pour écarter les mauvais esprits. Celles des enfants pauvres étaient en cuir.

Jeux et jouets

Les Romains aisés consacraient beaucoup de temps au sport et au jeu. Parmi les jeux populaires, on trouvait une forme simplifiée du jeu d'échecs, et un autre, appelé les « douze lignes », qui rappelle le jacquet. Les archéologues ont mis au jour quantité de billes, des animaux sculptés, des maisons de poupées avec leurs figurines en bois et en tissu, des chevaux à bascule et des jouets à roulettes. Les garçons imitaient les courses de chars sur de petits chariots.

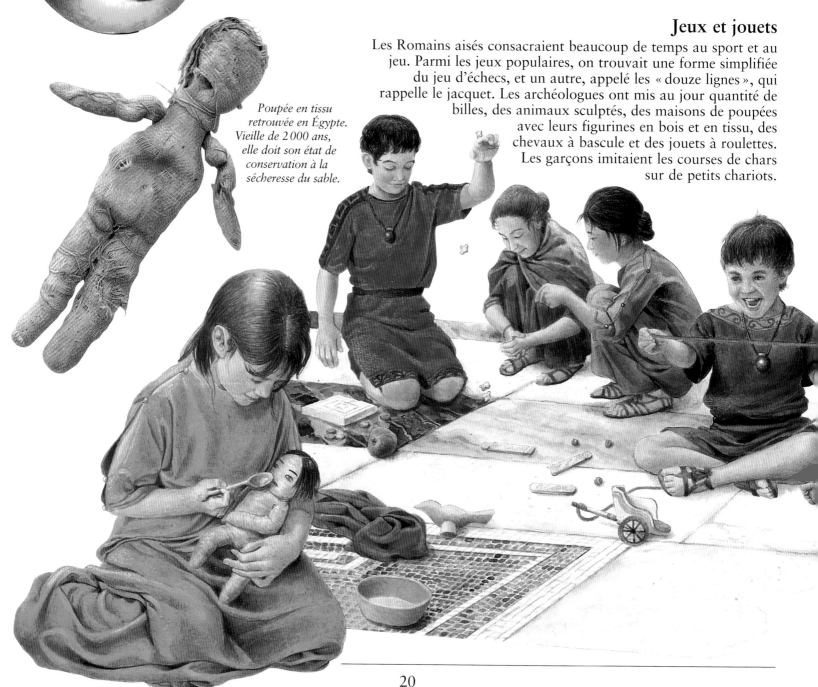

Poupée en tissu retrouvée en Égypte. Vieille de 2 000 ans, elle doit son état de conservation à la sécheresse du sable.

L'éducation

Les garçons fortunés, et parfois les filles, allaient à l'école à l'âge de 7 ans pour apprendre à lire et à compter, sous l'autorité de maîtres qui n'hésitaient pas à fouetter leurs élèves. Les enfants qui poursuivaient leur instruction fréquentaient essentiellement des classes de littérature, puis achevaient leurs études – du moins les garçons – par une école de rhétorique où on enseignait l'art oratoire. Certaines familles envoyaient leurs enfants parfaire leurs études en Grèce, considérée comme le haut lieu de la culture.

Ci-dessus, le premier maître d'un garçon était son père. Par la suite, ce dernier fut remplacé par un tuteur, souvent un esclave instruit.

Les animaux familiers

La plupart des maisons romaines avaient des chiens de garde (on a retrouvé des colliers). Les enfants riches possédaient de nombreux animaux. Les oiseaux étaient très appréciés, en particulier les rossignols.

Ce jeune esclave est sans doute déjà un serviteur expérimenté.

Lire et écrire

Les enfants ayant reçu une instruction complète savaient lire et écrire le latin et le grec. Les « livres », qui se présentaient sous forme de rouleaux, étaient écrits à la main et donc très rares. Le papier était également très cher car il était fait de papyrus importé d'Égypte ou de parchemin en peau de chevreau.

L'encre noire était fabriquée à partir de suie et les instruments d'écriture étaient en roseau (les calames) et en métal (les stylets, pour écrire sur des tablettes de cire réutilisables).

Les enfants esclaves

Quelques maîtres accordaient une certaine éducation aux enfants de leurs esclaves, mais pour la plupart, la vie se limitait au travail dès leur plus jeune âge. Ils ne connaissaient pas de vie de famille, car ils n'appartenaient pas à leurs parents, mais à leurs maîtres. Dans de nombreuses histoires romaines, on retrouve le personnage de l'« esclave rusé », plus intelligent que ses maîtres, qu'il soit ou non instruit.

Architecture et technologie

Les Romains n'engendrèrent pas des penseurs et artistes aussi importants que les Grecs, mais en revanche, dans des domaines techniques, comme l'architecture et l'ingénierie, ils affirmèrent nettement leur supériorité. Un millénaire après la disparition de l'Empire romain, aucun peuple d'Europe n'était parvenu à atteindre le degré de sophistication des Romains, tant dans les constructions des routes et des ponts, que dans l'élaboration des machines ou des outils.

Une grue est ici utilisée pour bâtir cet édifice monumental qui date du Ier siècle.

L'équipement

Pour les travaux, l'énergie était fournie par les animaux de trait (bœufs et chevaux) et une main-d'œuvre quasi gratuite (les esclaves). Des roues à marches, versions monumentales de celles qu'affectionnent les hamsters, fournissaient la puissance nécessaire pour pomper l'eau ou pour soulever des appareils (comme ci-dessus).

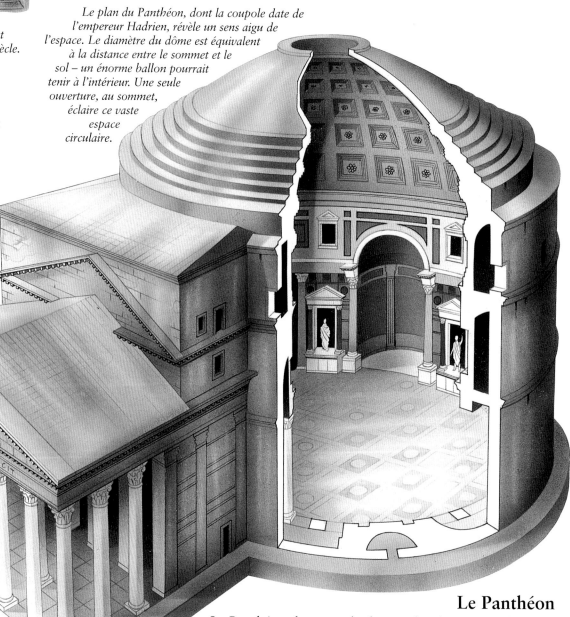

Le plan du Panthéon, dont la coupole date de l'empereur Hadrien, révèle un sens aigu de l'espace. Le diamètre du dôme est équivalent à la distance entre le sommet et le sol – un énorme ballon pourrait tenir à l'intérieur. Une seule ouverture, au sommet, éclaire ce vaste espace circulaire.

Le Panthéon

Le Panthéon, le « temple de tous les dieux », est l'édifice le mieux conservé de la Rome antique. Il fut reconstruit par l'empereur Hadrien en 118-125 apr. J.-C. (le porche sur la gauche est plus vieux d'un siècle). La construction du dôme – d'un diamètre étonnant de 44 mètres – fut rendue possible par l'invention du béton par les Romains. Il demeura le plus grand dôme jamais construit jusqu'au XXe siècle.

Sous les rues de la ville des canalisations en plomb acheminaient l'eau, tandis qu'un système d'égouts (à droite) évacuait les eaux usées. Les maisons non raccordées aux égouts possédaient une fosse d'aisance.

Les routes romaines étaient d'une telle solidité que certaines existent toujours. La voie Appienne (à gauche) était la principale route vers le sud en partant de Rome.

L'alimentation en eau des villes

Le système hydraulique était plus « moderne » que ceux qui furent mis en place en Europe jusqu'au XIXe siècle. L'eau était acheminée par un ensemble de tuyaux en plomb jusqu'aux puits publics, fontaines, bains, et aux demeures des riches Romains. L'eau circulait grâce à la pression, par exemple, d'un réservoir en hauteur. Pour empêcher l'eau de passer dans le mauvais sens, les tuyaux étaient équipés de soupapes.

Les routes

Les célèbres routes romaines furent construites par l'armée. Elles étaient rectilignes pour faciliter le déplacement des troupes. Les matériaux pouvaient varier, mais elles reposaient ordinairement sur des fondations en pierres recouvertes de lourdes dalles. Elles étaient bordées par des pavés et leur chaussée était bombée pour permettre l'écoulement des eaux de pluie.

L'énergie hydraulique

La récolte de blé achevée, on transportait les céréales au moulin, comme celui ci-contre. L'eau d'une rivière ou d'un torrent était canalisée à travers le moulin, où elle s'écoulait sur une roue hydraulique. La chute de l'eau faisait tourner la roue, qui à son tour faisait tourner les meules de pierre. Les grains de blé étaient écrasés entre les pierres et l'on obtenait de la farine.

Les ponts

À la différence des Grecs, dont l'architecture était toute en lignes droites, les Romains développèrent l'arche (et le dôme). L'arche permit aux Romains de traverser de gigantesques espaces à l'aide de ponts et d'aqueducs, dont certains existent encore. Les aqueducs acheminaient l'eau vers les villes depuis les cours d'eau de collines, situées parfois à plusieurs kilomètres.

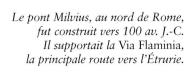

Le pont Milvius, au nord de Rome, fut construit vers 100 av. J.-C. Il supportait la Via Flaminia, la principale route vers l'Étrurie.

❶ MÂTS POUR SOUTENIR
LE CÂBLAGE DU VÉLUM
❷ VÉLUM

❸ RANGS SUPÉRIEURS RÉSERVÉS
AUX FEMMES
❹ TRAPPES D'ACCÈS À L'ARÈNE POUR
LES APPARITIONS SOUDAINES
❺ ARÈNE SABLONNEUSE
POUR ABSORBER
LE SANG

Vespasien

Général très
apprécié de ses
soldats, Vespasien
(69-79 apr. J.-C.)
fut proclamé
empereur par
ses troupes.
Il décida
l'édification du Colisée, qui fut
achevé après sa mort. Son nom
de famille étant Flavius, le Colisée
fut à l'origine appelé l'amphithéâtre
flavien. Les jeux duraient la journée
entière, parfois plusieurs jours de
suite. Ils étaient publics et offerts par
l'empereur. Tout en renforçant la
popularité de ce dernier, ils aidaient
le peuple à oublier sa misère et ses
velléités de révolte.

Le bâtiment

Le Colisée est un chef-d'œuvre
architectural. Le poids énorme des
gradins est soutenu par des arches
qui forment des galeries derrière les
rangs. Soixante-seize entrées, toutes
numérotées, permettaient d'atteindre le
réseau complexe d'escaliers, rampes,
arcades et couloirs. Sous l'arène s'étendait un
dédale de pièces et de couloirs incluant les enclos
des fauves et les quartiers des gladiateurs.

Le Colisée

Chaque ville romaine possédait un amphithéâtre où se
déroulaient des jeux. Le plus grand jamais construit fut
le Colisée de Rome, qui date de 80 apr. J.-C.
Remplaçant un ancien édifice en bois, il était composé
d'une arène ovale entourée par des rangées de gradins.
D'une capacité de 50 000 spectateurs, il mesurait 188 m
sur 165 m, et 48 m de haut. Pour protéger les spectateurs
du soleil, on tendait une gigantesque tente (vélum).
La moitié de l'édifice se dresse toujours au centre de Rome,
et demeure le monument le plus impressionnant de la ville.

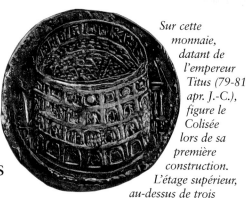

*Sur cette
monnaie,
datant de
l'empereur
Titus (79-81
apr. J.-C.),
figure le
Colisée
lors de sa
première
construction.
L'étage supérieur,
au-dessus de trois
rangées d'arches, est orné
de boucliers.*

Ce casque appartenait à l'un des gladiateurs les plus lourdement armés (oplomachus). La partie supérieure du corps n'était pas protégée, comme le montrent les statuettes en terre ci-dessus.

Les gladiateurs

La plupart des gladiateurs étaient des esclaves, des prisonniers de guerre ou des criminels. Ils s'entraînaient dans des écoles spécialisées. Les gladiateurs vainqueurs gagnaient de l'argent et le droit d'acheter leur liberté. Les gladiateurs professionnels (qui étaient volontaires) « truquaient » parfois les combats, comme, de nos jours, les catcheurs.

Les jeux étaient si populaires qu'ils servaient souvent de sujet décoratif dans les maisons romaines. La mosaïque ci-dessous montre différents gladiateurs, dont un rétiaire, armé d'un filet pour envelopper son adversaire et d'un trident.

Les combats d'hommes contre des animaux féroces étaient très appréciés. Ce gladiateur armé d'un glaive tente sa chance contre un léopard. Les condamnés à mort avaient les mains liées et étaient mis en pièce par les fauves.

Le sang et la mort

Ces sinistres spectacles, que les Romains appelaient « jeux », consistaient essentiellement en combats entre gladiateurs et exécutions publiques de criminels. Les Romains semblaient raffoler de ces divertissements sanglants : ils étaient peu nombreux à les réprouver.

Les spectacles

Le sport favori des Romains était la course de chars. Le Grand Cirque, *Circus Maximus,* possédait une piste immense qui était l'une des plus anciennes de Rome. Très proche du palais de l'empereur, un tunnel souterrain permettait à celui-ci d'accéder à sa loge privée.

Les courses de chars

Les courses étaient réservées à des conducteurs professionnels, des esclaves pour la plupart. Ils appartenaient à différentes équipes, avec leurs couleurs, leurs patrons, leurs supporters, leurs entraîneurs, des vétérinaires... et pouvaient acheter leur liberté avec leurs gains. Un certain Scorpus remporta 2 000 courses et devint un homme riche.

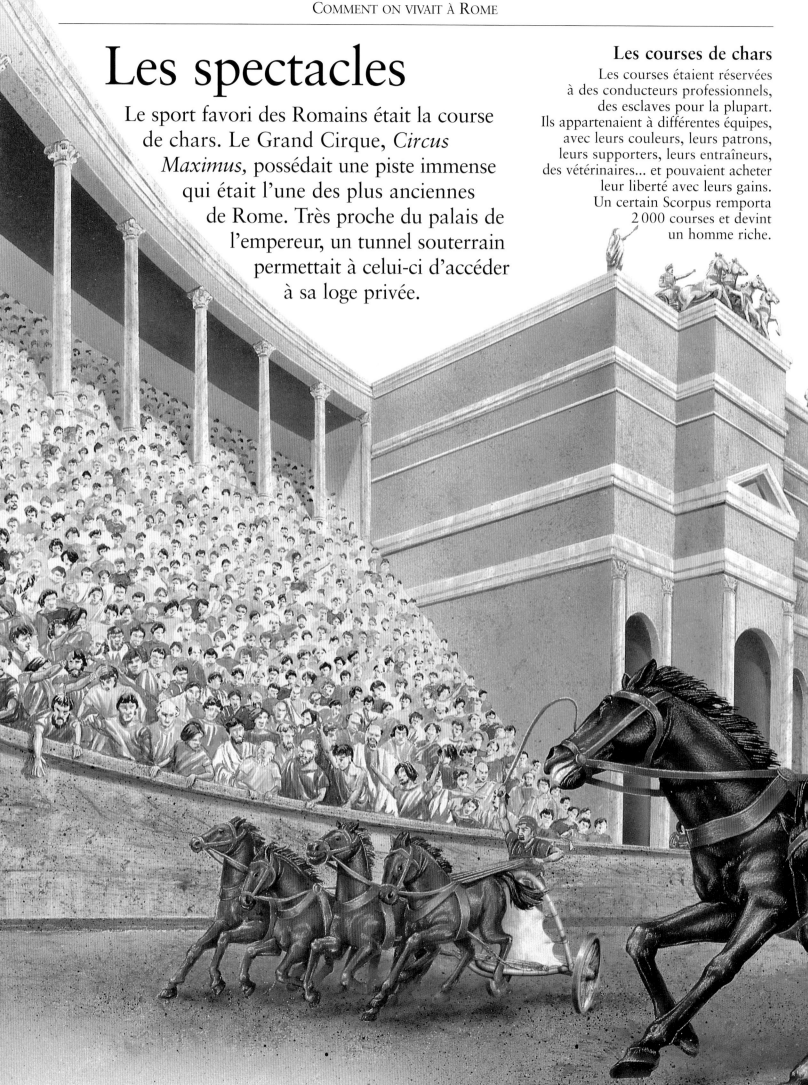

Le théâtre

Les premiers théâtres romains (à droite) furent d'abord construits en bois. Ce n'est qu'après 55 av. J.-C., que la pierre remplaça le bois. Leur architecture était invariable avec une arène en hauteur et des rangées de gradins en demi-cercle. Le public romain préférait les comédies inspirées du théâtre grec.

Acteurs et masques

Les acteurs avaient mauvaise réputation. La plupart étaient des esclaves, ou d'anciens esclaves. Ils portaient des masques aux expressions outrées (voir ci-contre). Le même acteur pouvait interpréter plusieurs rôles grâce à différents masques (jeune, vieillard, héros...).

La tragédie

On a longtemps cru que la tragédie latine était inexistante. Quelques pièces seulement, comme celles de Sénèque, sont parvenues jusqu'à nous. En 200, le public romain s'était définitivement détourné du genre et lui préférait la pantomime et le cirque.

Tirés par quatre chevaux, les chars étaient très légers. Ils parcouraient sept fois le Circus Maximus et les tournants provoquaient de fréquents accidents.

Les soldats

L'existence de l'Empire romain reposait sur la force de son armée, entièrement composée de soldats de métier, une première dans l'histoire militaire. Les légionnaires (une légion regroupait jusqu'à 5 000 hommes) s'engageaient pour vingt ans. Outre faire la guerre, ils devaient assurer la protection des frontières de l'Empire, et nombre d'entre eux, qui ne pénétrèrent jamais en Italie, manifestèrent plus de loyauté envers leurs généraux qu'envers leur empereur.

L'armure

Aux Ier et IIe siècles, les soldats romains portaient un casque métallique, avec une protection pour le cou, une veste composée de bandes métalliques, et un bouclier. Les bandes de métal qui composaient la veste étaient maintenues, à l'intérieur, par des courroies de cuir, et permettaient de bouger librement les épaules. Cette veste remplaçait la cotte de maille précédemment portée.

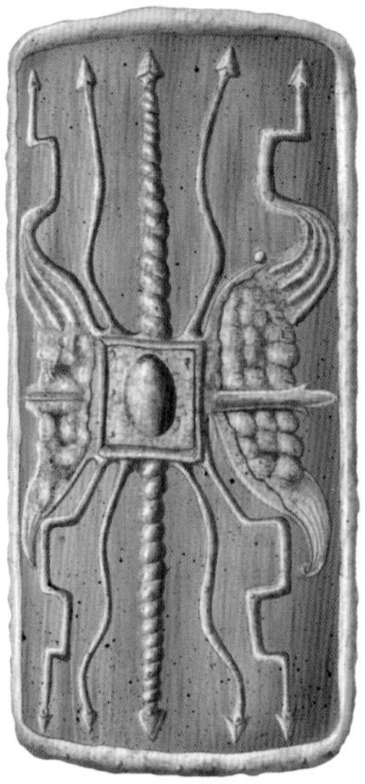

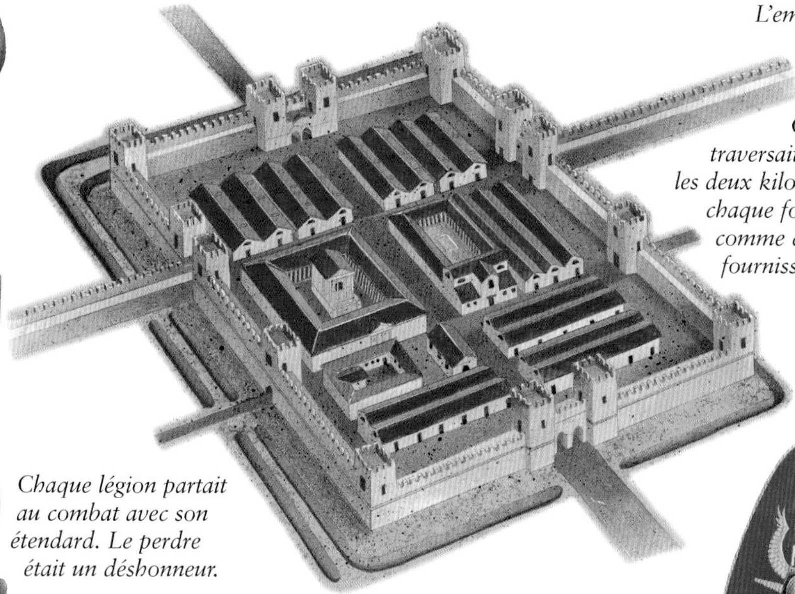

L'empereur Hadrien (117-138 apr J.-C.) décida de renforcer les frontières de l'Empire. Il ordonna l'édification d'un mur au nord de l'Angleterre. Celui-ci, appelé le mur d'Hadrien, traversait le pays et disposait d'un fort tous les deux kilomètres, et de tours de garde entre chaque fort. Les forts plus imposants, comme celui figurant à gauche, fournissaient les troupes de réserve.

Chaque légion partait au combat avec son étendard. Le perdre était un déshonneur.

L'arme principale du fantassin romain pour les combats au corps à corps consistait en une épée courte, ou glaive. La lame en acier de cette épée est rouillée, mais le manche en or et argent est resté intact.

Le camp militaire

Les légionnaires construisaient leur camp selon un plan toujours identique. Le camp était entouré d'un mur en pierre et en terre, avec des tours à chaque angle et deux autres, pour monter la garde, à chaque porte. Des baraquements abritaient les troupes, et des logements étaient destinés aux officiers et au général. À cela s'ajoutaient des bureaux, écuries, ateliers, bains, hôpitaux et une prison.

Les Romains inventèrent plusieurs machines pour attaquer les villes ennemies. Cette tour de siège (ci-contre), qui abritait des soldats, se poussait contre les remparts. Les soldats romains n'avaient plus qu'à donner l'assaut.

Les cohortes prétoriennes

Troupes d'élites, les cohortes prétoriennes percevaient un salaire trois fois plus élevé que celui des légionnaires et étaient cantonnées à l'extérieur de Rome, afin d'intervenir rapidement en cas de révolte. Elles exercèrent une influence dangereuse sur la vie politique à la fin du IIe siècle apr. J.-C. En 193, elles tuèrent l'empereur et offrirent la charge à celui qui les paierait le mieux.

Pendant un siège, il était rarement nécessaire de combattre. Les attaquants édifiaient des fortifications autour de la ville assiégée et attendaient que la faim ou la maladie oblige l'ennemi à se rendre.

Hannibal traversa l'Espagne, puis les Alpes avec ses éléphants, mais un seul arriva vivant en Italie. Les Romains eurent recours, eux aussi, aux éléphants, en Bretagne méridionale, en 43 apr. J.-C. La frayeur qu'ils produisaient chez l'adversaire ne durait guère, et les flèches et lances semaient la panique chez les animaux, qui causaient alors plus de dégâts dans leurs troupes que chez l'ennemi.

Les Guerres Puniques

En 264 av. J.-C., la petite République romaine chercha à conquérir la Sicile. Mais l'île était également convoitée par Carthage, grande cité d'Afrique du Nord. Connues sous le nom de Guerres Puniques, les trois guerres de Rome contre Carthage durèrent plus d'un siècle, de 264 à 146 av. J.-C. Elles s'achevèrent par la destruction de Carthage.

Hannibal

Durant la deuxième guerre punique (218-201 av. J.-C.), le général carthaginois Hannibal envahit l'Italie. Il traversa les Alpes en hiver et attaqua les Romains par surprise. Hannibal demeura sur le sol italien pendant treize ans, mais ne parvint cependant jamais à s'emparer de Rome. Finalement les Romains envoyèrent une armée en Afrique du Nord. Hannibal dut se replier pour défendre Carthage et fut vaincu.

Les vestales

Vesta, Hestia chez les Grecs, était associée à la prospérité de Rome. Son temple circulaire se trouvait au Forum, où elle était servie par des vestales, les seules prêtresses romaines. Choisies parmi les enfants de la noblesse, elles devaient servir la déesse pendant trente ans, en gardant la flamme de Vesta, qui personnifiait le foyer de la Cité, constamment allumée.

Sacrifices et offrandes

La religion romaine reposait sur des cérémonies complexes, notamment des offrandes, de vin et d'encens, et des sacrifices d'animaux. Lors des sacrifices, les vestales commençaient par parsemer l'animal de fleurs salées. Une fois l'animal immolé des prêtres examinaient son foie afin de prédire les intentions des dieux.

La religion

À Rome, Jupiter, le roi des dieux, était à la tête d'une nombreuse famille de dieux et de déesses. Ces derniers furent bientôt assimilés aux dieux de la Grèce – Jupiter avec Zeus, son épouse Junon avec son équivalent grec Hera... Culte et sacrifices avaient pour but de plaire aux dieux. La religion romaine était étroitement liée à la politique. Bien qu'athée, Jules César endossa le rôle de prêtre suprême.

Le culte impérial

Auguste, premier empereur romain, comprit l'importance politique de la religion. Pour conforter son pouvoir, il encouragea l'idée selon laquelle l'empereur possédait une essence semi-divine. L'adoration de l'empereur ne se transforma jamais en religion véritable, mais fit l'objet de cultes. L'empereur Commode (ci-dessus) insista pour que le Sénat le range au nombre des dieux; revêtu d'une peau de lion, il s'identifiait au héros Hercule.

Les dieux de la maison

Les Romains honoraient de très nombreux dieux, dont les pénates (divinités du foyer) et les mânes (esprits des ancêtres). Un petit autel domestique était disposé dans l'*atrium*. Ils vénéraient aussi les dieux lares (à droite), esprits protecteurs de la famille.

Ci-dessus, sur cette fresque murale, Bacchus le dieu du vin est représenté revêtu de grappes de raisin et en compagnie de sa panthère. Appelé Dionysos, en Grèce, il faisait l'objet de cultes qui dégénéraient en beuveries.

À droite, cette statue décorative en bronze figure Fortune, la déesse romaine de la chance. Au fil du temps, elle fit l'objet de plusieurs cultes. Entre autres, les femmes faisaient appel à elle lorsqu'elles voulaient un enfant.

Le mithraïsme

Culte originaire de Perse, le mithraïsme était réservé aux hommes et très populaire auprès des soldats. Mi-héros, mi-fils du soleil, le culte de Mithra ne se célébrait pas dans des temples, mais dans les caves et les grottes. Toutefois, en excluant les femmes, le mithraïsme finit pas céder le pas au christianisme.

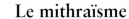

Les adorateurs de Mithra croyaient que la vie sur terre jaillissait du sang d'un taureau égorgé par le dieu-héros avant qu'il ne gagne le ciel.

Le sistrum (ci-dessous), sorte de crécelle, était utilisé par les prêtres au service de la déesse égyptienne Isis, dont le culte était l'un des plus populaires de Rome. Le son du sistrum devait chasser les mauvais esprits.

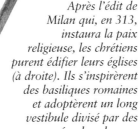

Les mystères

Les cultes à mystères étaient tolérés par l'autorité impériale, même si l'on craignait qu'ils ne dissimulent des tentatives de rébellion. L'adoration de Cybèle, la « Grande Mère », originaire d'Anatolie (Turquie), est liée à la fertilité et donc très populaire auprès des femmes. Les cérémonies incluaient musique et danse. La gravure en bois ci-dessus figure un prêtre avec les instruments du culte de Cybèle.

Le christianisme

Le christianisme fut fondé à la même époque que l'Empire romain. Les chrétiens refusaient de trahir leur foi en adorant les dieux romains. Ignorés par la plupart des empereurs romains, ils firent néanmoins l'objet de persécutions, en particulier au IIIe siècle. En 313, l'empereur Constantin (306-337) autorisa les chrétiens à célébrer publiquement leur culte, et le christianisme devint bientôt la religion officielle de l'Empire romain.

Après l'édit de Milan qui, en 313, instaura la paix religieuse, les chrétiens purent édifier leurs églises (à droite). Ils s'inspirèrent des basiliques romaines et adoptèrent un long vestibule divisé par des rangées de colonnes.

Une maison romaine

La plupart du temps, les Romains très riches possédaient une propriété à la campagne et une demeure en ville, et les conditions de vie étaient très confortables grâce aux nombreux serviteurs. Les maisons obéissaient à un plan traditionnel. De l'extérieur, on ne voyait que des murs aux minuscules fenêtres percées tout en hauteur sur les façades donnant sur les cours. Les pièces principales étaient regroupées autour de l'*atrium* : une cour ouverte au centre du bâtiment. À la campagne, les villas faisaient partie d'une grande propriété. En ville, les maisons individuelles étaient rassemblées dans les quartiers chics de la ville.

Ci-dessus, un petit four en pierre, alimenté au charbon dans la partie inférieure. Certains modèles étaient équipés d'un dessous-de-plat sur lequel on faisait bouillir les marmites et griller la viande.

Une maison privée

En pierre ou en briques, parfois plâtrées, les maisons étaient en général construites de plain-pied. À Rome, elles disposaient souvent d'un étage supérieur. Certaines avaient un sous-sol, un dédale de petites pièces où vivaient les esclaves.

La décoration

Si elles contenaient peu de meubles, les pièces étaient en revanche richement décorées. Les murs étaient recouverts de peintures aux motifs abstraits ou aux sujets réalistes, ou encore de panneaux de différentes couleurs. Les sols étaient, quant à eux, pavés de mosaïques représentant le plus souvent des motifs géométriques en noir et blanc.

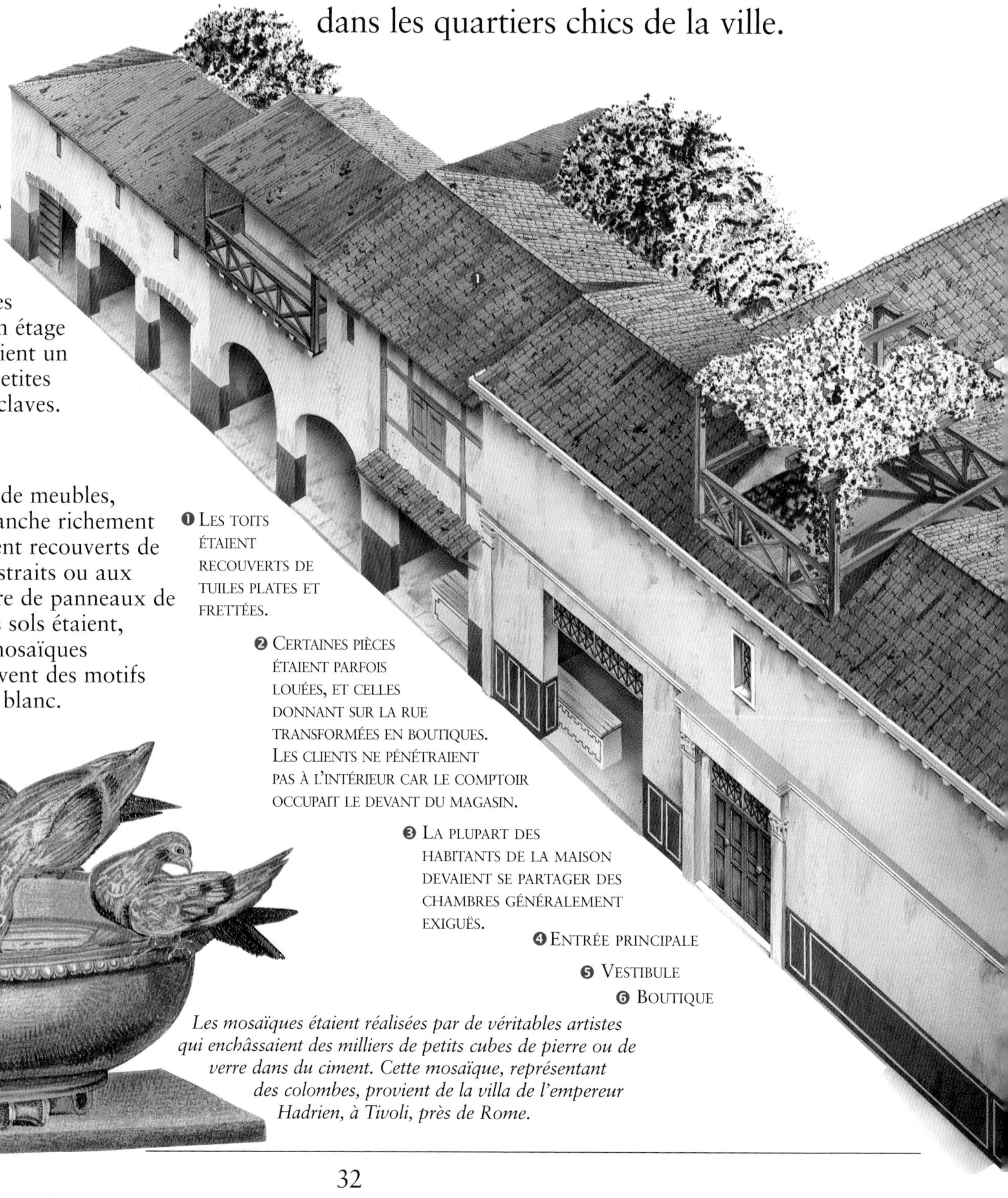

❶ LES TOITS ÉTAIENT RECOUVERTS DE TUILES PLATES ET FRETTÉES.

❷ CERTAINES PIÈCES ÉTAIENT PARFOIS LOUÉES, ET CELLES DONNANT SUR LA RUE TRANSFORMÉES EN BOUTIQUES. LES CLIENTS NE PÉNÉTRAIENT PAS À L'INTÉRIEUR CAR LE COMPTOIR OCCUPAIT LE DEVANT DU MAGASIN.

❸ LA PLUPART DES HABITANTS DE LA MAISON DEVAIENT SE PARTAGER DES CHAMBRES GÉNÉRALEMENT EXIGUËS.

❹ ENTRÉE PRINCIPALE

❺ VESTIBULE

❻ BOUTIQUE

Les mosaïques étaient réalisées par de véritables artistes qui enchâssaient des milliers de petits cubes de pierre ou de verre dans du ciment. Cette mosaïque, représentant des colombes, provient de la villa de l'empereur Hadrien, à Tivoli, près de Rome.

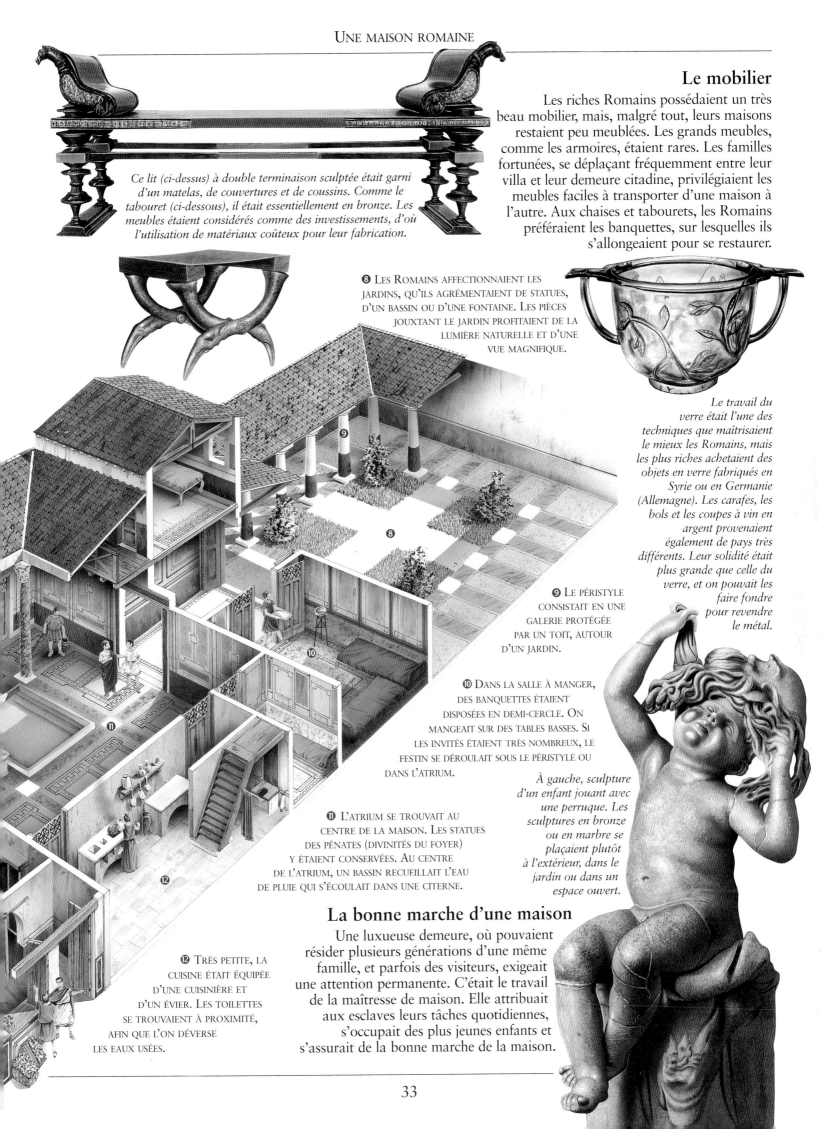

Le mobilier

Les riches Romains possédaient un très beau mobilier, mais, malgré tout, leurs maisons restaient peu meublées. Les grands meubles, comme les armoires, étaient rares. Les familles fortunées, se déplaçant fréquemment entre leur villa et leur demeure citadine, privilégiaient les meubles faciles à transporter d'une maison à l'autre. Aux chaises et tabourets, les Romains préféraient les banquettes, sur lesquelles ils s'allongeaient pour se restaurer.

Ce lit (ci-dessus) à double terminaison sculptée était garni d'un matelas, de couvertures et de coussins. Comme le tabouret (ci-dessous), il était essentiellement en bronze. Les meubles étaient considérés comme des investissements, d'où l'utilisation de matériaux coûteux pour leur fabrication.

❽ LES ROMAINS AFFECTIONNAIENT LES JARDINS, QU'ILS AGRÉMENTAIENT DE STATUES, D'UN BASSIN OU D'UNE FONTAINE. LES PIÈCES JOUXTANT LE JARDIN PROFITAIENT DE LA LUMIÈRE NATURELLE ET D'UNE VUE MAGNIFIQUE.

Le travail du verre était l'une des techniques que maîtrisaient le mieux les Romains, mais les plus riches achetaient des objets en verre fabriqués en Syrie ou en Germanie (Allemagne). Les carafes, les bols et les coupes à vin en argent provenaient également de pays très différents. Leur solidité était plus grande que celle du verre, et on pouvait les faire fondre pour revendre le métal.

❾ LE PÉRISTYLE CONSISTAIT EN UNE GALERIE PROTÉGÉE PAR UN TOIT, AUTOUR D'UN JARDIN.

❿ DANS LA SALLE À MANGER, DES BANQUETTES ÉTAIENT DISPOSÉES EN DEMI-CERCLE. ON MANGEAIT SUR DES TABLES BASSES. SI LES INVITÉS ÉTAIENT TRÈS NOMBREUX, LE FESTIN SE DÉROULAIT SOUS LE PÉRISTYLE OU DANS L'ATRIUM.

⓫ L'ATRIUM SE TROUVAIT AU CENTRE DE LA MAISON. LES STATUES DES PÉNATES (DIVINITÉS DU FOYER) Y ÉTAIENT CONSERVÉES. AU CENTRE DE L'ATRIUM, UN BASSIN RECUEILLAIT L'EAU DE PLUIE QUI S'ÉCOULAIT DANS UNE CITERNE.

À gauche, sculpture d'un enfant jouant avec une perruque. Les sculptures en bronze ou en marbre se plaçaient plutôt à l'extérieur, dans le jardin ou dans un espace ouvert.

La bonne marche d'une maison

Une luxueuse demeure, où pouvaient résider plusieurs générations d'une même famille, et parfois des visiteurs, exigeait une attention permanente. C'était le travail de la maîtresse de maison. Elle attribuait aux esclaves leurs tâches quotidiennes, s'occupait des plus jeunes enfants et s'assurait de la bonne marche de la maison.

⓬ TRÈS PETITE, LA CUISINE ÉTAIT ÉQUIPÉE D'UNE CUISINIÈRE ET D'UN ÉVIER. LES TOILETTES SE TROUVAIENT À PROXIMITÉ, AFIN QUE L'ON DÉVERSE LES EAUX USÉES.

L'agriculture

Le meilleur moyen pour gagner sa vie, et le plus agréable, consistait, d'après Cicéron (103-46 av. J.-C.), à devenir propriétaire terrien et à posséder les ouvriers agricoles et esclaves nécessaires pour accomplir le travail. Sous l'Empire, l'agriculture, activité essentielle et fondement de la richesse impériale, l'emportait même sur le commerce. D'ailleurs, la plupart des Romains vivaient à la campagne.

La taille des exploitations variaient considérablement. Souvent petites et familiales à l'origine, elles furent de plus en plus souvent rachetées et regroupées pour former de gigantesques domaines.

Ci-dessus, statuette en argent d'un berger. Il porte un agneau sur son dos, ainsi qu'une grosse jarre en guise de contrepoids.

Les Romains appréciaient les fruits. Ils consommaient des pommes, dont on voit ci-dessus la cueillette, du raisin, des figues, des poires et des grenades, mais également des pêches, des abricots et des citrons.

La récolte des olives

Les olives étaient abondamment récoltées. Elles servaient surtout à fabriquer de l'huile. À partir du IIe siècle apr. J.-C., lorsque la production italienne d'olives devint insuffisante, les romains couvrirent d'oliveraies les provinces d'Afrique du Nord. On ramassait les olives après avoir frappé les branches avec un bâton pour en faire tomber les fruits. Elles étaient ensuite chargées dans des paniers et acheminées jusqu'au pressoir.

On rencontrait des charrettes identiques à celle-ci dans tout l'Empire. Elles empruntaient généralement les chemins de campagne car les grandes routes étaient inadaptées aux véhicules à roues.

Le transport agricole

Les Romains possédaient des chevaux, des mules et des ânes, mais pour les charges lourdes ils préféraient utiliser des bœufs comme animaux de trait. Leurs charrettes ne différaient guère de celles utilisées encore aujourd'hui dans quelques régions d'Europe. Certaines d'entre elles étaient peut-être de conception celtique.

Ce soc de charrue (ci-dessous) consistait en un simple morceau de fer destiné à briser la terre, avant les semailles. Par la suite, les Romains adoptèrent la charrue celtique, plus efficace car elle retournait le sol.

Les céréales

Sa croissance obligea Rome à importer les principales denrées alimentaires. Vers l'an 100 apr. J.-C., les provinces fertiles d'Afrique du Nord devinrent le « grenier à blé » de Rome. Elles produisaient 750 000 tonnes de blé par an. Parmi les autres céréales, on trouvait l'orge (pour le brassage de la bière), l'avoine et le seigle. Les Romains, ne connaissant pas les techniques de culture du riz, en importaient d'Orient.

Le vin

La viticulture est un art très ancien. On avait planté des vignobles dans tout l'Empire, même en Bretagne. Les Romains préféraient le vin à toute autre boisson. Après l'an 100, Le vin romain fut essentiellement produit en Afrique du Nord, Espagne et Grèce. En Italie, le meilleur vin provenait des collines du mont Vésuve, et, dans les premiers temps, les viticulteurs italiens exportèrent leur vin dans le nord de l'Europe.

Le miel

Les Romains ne connaissaient pas le sucre et utilisaient le miel comme édulcorant. Les secrets de l'apiculture, comme ceux de la viticulture, étaient connus depuis longtemps. Les ruches étaient faites en terre (voire en bois ou dans un autre matériau) et disposées par rangées. Les Romains produisaient différents miels et usaient de techniques variées. Le miel parfumé au thym, d'origine grecque, était très apprécié à Rome.

Les animaux

Les moutons étaient élevés pour leur laine. On produisait des fromages à base de lait de brebis ou de chèvre. Certaines grandes fermes se lancèrent dans l'élevage sélectif. Les moutons et les porcs étaient faciles à élever, mais il fallait assurer leur protection contre les voleurs et les prédateurs. Le lait de brebis était préféré à celui de vache. Les bovins étaient élevés pour servir comme animaux de trait et pour leur cuir, tandis qu'on attribuait aux ânes des tâches plus faciles. Les poules fournissaient œufs et viande.

Ci-dessus, le porc était la viande préférée des Romains. Ces animaux étaient faciles à nourrir en hiver, et en été, ils trouvaient leur nourriture dans les bois.

Ci-dessous, aidés de lourds bâtons, des hommes foulent au pied les grappes de raisin pour préparer du vin. Leurs mains sont liées afin qu'ils évitent de glisser.

Une cuisine romaine

Les Romains ne consommaient pas les mêmes produits que nous (par exemple, ils ne connaissaient ni les pâtes ni les pommes de terre), et certains ont heureusement disparu (notamment les souris grillées !). Leur nourriture ne contenait pas d'engrais et d'additifs. Lorsqu'ils en avaient les moyens, les Romains mangeaient à leur gré. À la campagne, tous les produits provenaient de la propriété, mais à Rome le ravitaillement faisait l'objet d'un très important commerce. Les empereurs veillaient à ce que les pauvres ne manquent jamais de pain. Les commerçants produisaient eux-mêmes leur marchandise et l'acheminaient jusqu'à la cité.

PETITE CASSEROLE

PASSOIRE

Cette casserole et cette passoire ressemblent à celles utilisées de nos jours, mais elles sont en bronze, non en acier.

CRUCHE

Le cuisinier

Peu nombreuses étaient les maisons équipées d'une cuisine : les Romains consommaient donc quantité de plats préparés. Dans les grandes demeures en revanche, les esclaves cuisinaient et servaient les repas. Ils travaillaient dans la cuisine sous la direction d'un chef, secondé par un sommelier et par d'autres spécialistes.

On conservait les fruits et légumes frais dans des paniers, le vin et l'huile d'olive dans des amphores (grands vases en terre).

Préparer un dîner

Organiser un festin exigeait une longue préparation. La coutume aristocratique qui consistait à manger allongé nécessitait un très vaste espace. Le repas se déroulait donc généralement à l'extérieur, excepté au palais de l'empereur. Une véritable armée d'esclaves préparait et servait les plats. Les réjouissances débutaient par des œufs pour s'achever par des fruits. La viande et les légumes étaient servis séparément.

Les ustensiles

On utilisait toutes sortes de couteaux pour préparer les repas. On trouvait aussi des cuillers en bois et métal, mais les Romains préféraient manger avec leurs doigts. Les fourchettes n'existaient pas.

RÂPE

Les bouteilles en verre étaient plus fragiles et coûteuses que celles en terre. Elles étaient destinées à servir les boissons plutôt qu'à les stocker.

MARMITE

GRAINES DE FENOUIL

ROMARIN

BASILIC

PERSIL

MORTIER ET PILON EN PIERRE

ANIS

CUMIN

Les aliments

Les Romains cultivaient des légumes variés : asperges, choux, carottes, concombres, poireaux, laitues, oignons, citrouilles, pois et haricots. Ils accommodaient leurs plats d'une centaine d'épices différentes et appréciaient aussi le poisson et le gibier.

Le pain

La plupart des Romains achetaient le pain dans une boulangerie, mais les maisons avec cuisine étaient souvent équipées d'un four. Les moules à long manche, comme celui ci-contre, servaient sans doute à cuire les petits pains dans des fours très chauds.

Les aliments étaient cuits sur des fourneaux alimentés au charbon ou au bois.

FOURNEAU À VAPEUR

La fraîcheur des aliments

Pour les cuisiniers romains, conserver les aliments frais était problématique. Certaines maisons possédaient des caves. La Méditerranée fournissait une belle variété de poissons, mais les acheminer jusqu'à Rome en état de fraîcheur coûtait cher. Il est probable que la sauce forte appelée *garum*, très appréciée des Romains, permettait de masquer l'altération de la saveur des aliments.

JARRES POUR HUILE D'OLIVE ET VIN

GRIL AVEC DEUX EMPLACEMENTS POUR LES MARMITES

Ouvriers et artisans

Les tesselles de cette mosaïque ci-dessous ne dépassaient pas 1 mm, d'où l'impression que l'on se trouve en face d'une peinture.

Les Romains se plaignaient constamment du bruit. Il est vrai que Rome était une gigantesque ville manufacturière abritant des centaines d'artisans et d'ouvriers qui étaient responsables de ce vacarme – marteau du maréchal-ferrant, forge du souffleur de verre, cris des charretiers, grondement des roues sur les pavés. Des milliers d'ateliers étaient disséminés dans toute la ville, et non regroupés dans un seul quartier comme aujourd'hui. Autre différence de taille, les vendeurs étaient aussi les producteurs. L'homme qui vendait un couteau était celui qui l'avait fabriqué. Les bouchers et les épiciers étaient aussi fermiers.

Les vêtements

Après l'industrie alimentaire, celle du vêtement et du tissu étaient les plus importantes, avec les ateliers de filage, de tissage ou de teinture. Les vêtements étaient simples, mais les Romains appréciaient les couleurs vives, et les tisserands fabriquaient de magnifiques étoffes décoratives à partir de soie importée. L'armée était un client privilégié de l'industrie du tissu.

La mosaïque

La fabrication de la mosaïque était l'œuvre d'artisans très habiles. Ces derniers taillaient de minuscules cubes de pierre ou de verre (tesselles) de différentes couleurs et les enchâssaient sur un lit de mortier. Les mosaïques à motifs géométriques noir et blanc avaient tant de succès qu'elles étaient produites en grand nombre et vendues prêtes à poser sous forme de panneaux entiers.

Les joailliers romains étaient experts dans la fabrication des camées, gravés dans la pierre dure. Le portrait était un genre très apprécié.

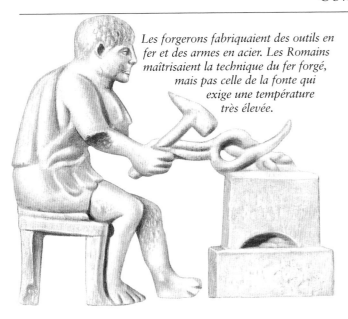

Les forgerons fabriquaient des outils en fer et des armes en acier. Les Romains maîtrisaient la technique du fer forgé, mais pas celle de la fonte qui exige une température très élevée.

L'argenterie

La conquête de régions argentifères, en Espagne et en Asie, favorisa l'afflux de grosses quantités d'argent à Rome. Les orfèvres le transformaient en plats qu'ils décoraient à l'aide de techniques similaires à celles utilisées aujourd'hui. Il servait également à fabriquer des monnaies. Les statuettes et les ustensiles en argent, en particulier les coupes, faisaient partie des biens des Romains les plus riches.

Cette coupe (à droite) en argent décorée de squelettes nous avertit que la vie est courte. Elle faisait partie d'un service de 109 pièces.

La poterie

Les poteries étaient façonnées sur un tour et cuites dans un four spécial. Sur les tables des grandes demeures trônait souvent un service rouge vif qui reflétait la lumière des lampes à huile colorées. Les bols et les assiettes en simple terre cuite étaient plus courants. L'industrie du bâtiment dépendait également de la poterie, notamment pour la fabrication des tuiles.

Les bols et assiettes, en divers matériaux, pouvaient prendre des formes très variées.

Le verre

Jusqu'à l'invention du verre soufflé au Ier siècle av. J.-C., la vaisselle en verre était rare. Très vite, les verriers se répandirent dans tout l'Empire. Ils fabriquaient même des feuilles de verre pour les fenêtres. La vaisselle était diversement décorée, selon des méthodes différentes, y compris celle des camées. Certains verriers étaient de véritables artistes, comme en témoignent les objets retrouvés à ce jour.

Dans cette scène, un esclave achète un couteau de cuisine. Le manche des couteaux de cuisine était souvent en os ou ivoire sculpté.

Les immeubles

La grande majorité des Romains vivait dans des immeubles, hauts parfois de six étages. La plupart étaient construits avec des matériaux bon marché, et leurs fondations étaient insuffisantes. On comptait jusqu'à un effondrement par jour. Cicéron, qui possédait un immeuble, écrivit : « Même les souris ont déménagé. » Les incendies étaient fréquents et très meurtriers car les habitants des étages supérieurs ne pouvaient pas échapper aux flammes. Excepté au rez-de-chaussée, les services étaient inexistants. On devait ainsi apporter l'eau dans les étages avec des seaux.

Les propriétaires de ce vase en verre étaient sans nul doute aisés.

Un meilleur niveau de vie

Au IIe siècle apr. J.-C., on commença à construire des appartements en briques et en plâtre pour de riches locataires. Le plan des plus beaux appartements se calquait sur celui des maisons romaines, et le rez-de-chaussée était souvent aménagé en jardin. Luxueusement meublés, ils disposaient en outre de toilettes et d'une cuisine.

❶ LES BOUTIQUES OCCUPAIENT LE REZ-DE-CHAUSSÉE, PARFOIS LES MEZZANINES ET LES ÉTAGES SUPÉRIEURS.

❷ LES MURS N'ÉTAIENT PAS SUFFISAMMENT ÉPAIS ET, JUSQU'AU Ier SIÈCLE AV. J.-C., SOUVENT CONSTITUÉS DE MOELLONS.

❸ CERTAINS APPARTEMENTS DISPOSAIENT D'UN BALCON.

Propriétaires et locataires

La construction d'immeubles était considérée comme un investissement. Le constructeur louait l'immeuble à un locataire qui, à son tour sous-louait les appartements à des familles. Une opération plus rentable encore consistait à rénover un immeuble au lieu de le reconstruire entièrement. Les incendies profitaient aux spéculateurs : ils rachetaient le bâtiment à bon marché, puis le faisaient reconstruire en vue de sa location.

Les fenêtres

Les vitres étaient rares dans les appartements. Certaines fenêtres étaient protégées par des grilles et des volets en bois, mais ces deux systèmes ne protégeaient pas du froid. Hormis leurs fenêtres non vitrées, ces immeubles ressemblaient beaucoup aux édifices italiens actuels.

Grille en fer protégeant une fenêtre.

Chaleur et lumière

Les appartements étaient froids en hiver et chauds en été, en particulier dans les étages supérieurs. Pour se chauffer, la plupart des habitants disposaient de poêles transportables. Bougies et lampes à huile fournissaient l'éclairage, d'où les incendies relativement fréquents. À la différence des paysans, les citadins ne disposaient pas de cheminées autour desquelles se réunir.

Lampe à huile en terre cuite. Ce médiocre moyen d'éclairage obligeait les Romains à se lever à l'aube pour profiter au maximum de la lumière naturelle.

❹ LES FENÊTRES ÉTAIENT SOUVENT PLUS LARGES QUE DANS LES MAISONS PRIVÉES, POUR LAISSER PÉNÉTRER DAVANTAGE LA LUMIÈRE.

Le port d'Ostie

Ostie était située à l'embouchure du Tibre, sur la côte, à 25 km en aval de Rome. Base navale au début de la République, elle devint bientôt un grand port commercial et, par la suite, fut appelée Portus Romae, « le port de Rome ». Sous le règne de l'empereur Claude (41-54 apr. J.-C.), l'embouchure du fleuve fut ensablée, et l'on construisit un nouveau port à 3 km au nord. Un navire, qui avait transporté un obélisque en provenance d'Égypte, fut coulé dans le port pour servir de plate-forme à un phare. Une petite ville se développa tout autour, mais Ostie demeura le principal centre de commerce.

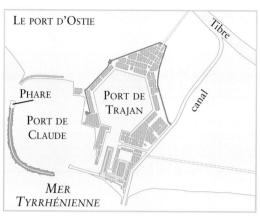

Ci-dessus, à gauche, le port de Claude où, en 62 apr. J.-C., une tempête détruisit 200 navires amarrés, chargés de céréales. L'empereur Trajan (98-117 apr. J.-C.) fit construire un port mieux protégé sur cinq côtés (à droite) et pouvant accueillir 300 navires. Il était relié au Tibre par des canaux.

Les navires trop importants ne pouvaient pas remonter le Tibre, et leurs cargaisons étaient transférées sur des embarcations plus petites. Sur ce bas-relief (ci-contre), une embarcation rejoint un navire marchand, et, à droite, marchands et capitaines fêtent le succès d'un voyage.

La navigation

Un navire marchand est reproduit sur l'image au centre. Il est en bois, avec une coque arrondie et un mât unique. Une voile carrée pend de la vergue fixée au mât, tandis que le navire est dirigé par d'immenses avirons à la poupe. Les gros bateaux possédaient deux mâts, ou, comme celui-ci, un foc triangulaire sur le beaupré. Certains navires transportaient jusqu'à 250 tonnes de grains.

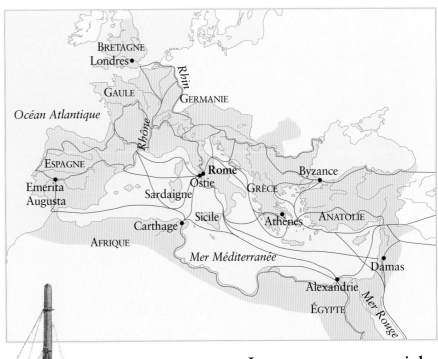

Cette monnaie représente un port avec divers navires, des entrepôts et, en bas, Neptune, le dieu de la mer.

Les routes commerciales

Les navires marchands sillonnaient la Méditerranée. Les grands fleuves (le Rhin, le Rhône) étaient également des routes commerciales très actives. Les marchands empruntaient aussi les routes terrestres construites pour l'armée.

Scène d'intense activité dans le port d'Ostie : un navire accoste tandis qu'un autre s'apprête à partir, et sur un troisième (à gauche) l'équipage déploie la voile. À l'arrière-plan, on aperçoit les entrepôts à colonnade.

À droite, au marché, une marchande vend des fruits à un esclave.

Le commerce

Durant les premières années de la République, les Romains exportaient des marchandises et cultivaient les denrées alimentaires qui leur étaient nécessaires. Mais au IIe siècle, ils en importaient la presque-totalité, de tout l'Empire et même au-delà. Rome ne possédait pas une vraie infrastructure industrielle. Tout était fait à la main. Pour subvenir aux besoins d'un million de personnes, pauvres pour la plupart, toutes sortes de produits (tissus, marmites...) et de denrées étaient importés. Le commerce s'effectuait par voies fluviale (grâce au Tibre) et maritime, car le transport terrestre était lent et coûteux.

Ci-contre, le véloce Mercure, avec ses talonnières et son casque, était le dieu du commerce. Cette statue en bronze le représente tenant une bourse d'argent à la main. Messager des dieux, il tient le caducée de l'autre.

Les banquiers

Les banques romaines jouaient un rôle moins important dans la vie quotidienne, mais offraient de nombreux services. On pouvait emprunter de l'argent pour une courte durée et à un taux très élevé. On pouvait faire des dépôts, changer de l'argent (même si la monnaie romaine était acceptée dans tout l'Empire), et prendre un crédit. Les marchands empruntaient de l'argent avec intérêt pour payer leur cargaison, car si le navire faisait naufrage, le prêteur perdait son argent.

Ci-dessous, banquier vérifiant ses calculs. Les riches propriétaires proposaient parfois des prêts sans intérêt à leurs amis ou clients. Les prêteurs professionnels, eux, pratiquaient des taux d'intérêt très élevés.

La monnaie romaine de base était le denier en argent. Il existait une pièce en or valant 25 deniers, et de plus petites, en bronze ou en cuivre. La monnaie romaine domina rapidement le bassin méditerranéen, malgré d'autres monnaies locales dans les différentes provinces, pour le bonheur des agents de change.

Poids et mesures

On pesait les objets précieux avec une simple balance à curseur mobile (ci-dessus). L'objet était suspendu à un crochet, lui-même fixé à une réglette graduée. On faisait glisser le poids curseur mobile le long de la réglette jusqu'à ce qu'elle soit horizontale, ce qui permettait de lire le poids de l'objet. Pour les articles plus lourds, on utilisait une balance à deux plateaux, dite « romaine ».

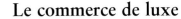

Le commerce romain avec la Chine se limitait à la soie et à la poterie comme ce plat ci-contre. Les marchandises étaient acheminées par voie terrestre à travers l'Asie par la route de la soie.

La voie maritime

Les navires marchands, des petits caboteurs (ci-dessus) aux vaisseaux transportant plus de 250 tonnes, étaient manœuvrés grâce à des voiles carrées, des avirons et un gouvernail-rame. Les marchands préféraient longer les côtes et passer les nuits dans les ports. Les naufrages étaient fréquents (ces dernières années, des fouilles ont mis au jour un millier d'épaves), et les pirates représentaient également une menace.

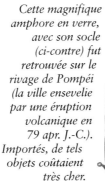

Cette magnifique amphore en verre, avec son socle (ci-contre) fut retrouvée sur le rivage de Pompéi (la ville ensevelie par une éruption volcanique en 79 apr. J.-C.). Importés, de tels objets coûtaient très cher.

Le commerce de luxe

Les riches Romains étaient peu nombreux, comparés à la masse des pauvres, mais ils pouvaient s'offrir sans peine bijoux indiens, parfums rares, argenterie, verrerie, soie chinoise, œuvres d'art et nourritures exotiques. Jules César interdit les vêtements pourpres en raison du coût exorbitant de la teinture, en provenance de Tyr. Elle était obtenue à partir du murex, un coquillage, mais il en fallait des dizaines de milliers pour teindre une seule toge.

À gauche, ce fragment de bas-relief provenant de l'Allemagne méridionale montre un navire à rames lourdement chargé de tonneaux de vin.

Animaux exotiques

Les marchands tiraient d'énormes profits du commerce des fauves. En quelques jours, 11 000 animaux furent tués lors des jeux de l'empereur Trajan célébrant une victoire, en 107 apr. J.-C. Lions, tigres, rhinocéros, chameaux, crocodiles, ours, loups et éléphants étaient acheminés à Rome où ils trouvaient la mort au Colisée, pour le plus grand amusement du public.

Index